Zeichnungen
Entwürfe
Beispiele


Drawings
Designs
Examples

**Margrit Marr**

Porzellanmalerei
Spitzen, Goldreliefs, Blüten

Porcelain Painting
Lace, Raised paste, Flowers

Texte: Margrit Marr, unter Mitarbeit von
Andrea Hölzl, München
Übersetzung ins Englische: Ricki Wiersema,
NL-Apeldoorn und Celia Shute,
GB-Wakefield
Fotos: Margret Paal, München

© 2000 Verlag Georg D.W. Callwey
   GmbH & Co, Streitfeldstraße 35,
   D-81673 München
© by Georg D.W. Callwey GmbH & Co,
   Munich. All rights reserved. No part of this
   book may be reprinted, translated, filmed
   or electronically transmitted
e-mail: buch@callwey.de
www.callwey.de

Die Deutsche Bibliothek –
CIP-Einheitsaufnahme:
Ein Titeldatensatz für diese Publikation ist
bei Der Deutschen Bibliothek erhältlich.

Lithos: Reproteam Siefert, Ulm
Druck und Bindung: Printer Trento S.r.l.
Printed in Italy, 2000
ISBN 3-7667-1406-6

# Inhalt
# Contents

# Vorwort

## Zu meinen Bordüren mit filigranen Goldarbeiten und Goldspitzen

Dieses Buch ist zum einen für all jene bestimmt, die immer wieder aufs Neue nach meinen Goldspitzen und filigranen Goldarbeiten, mit oder ohne Relief (mit blanc fixe) verlangen – außerdem natürlich für alle Porzellanmalerinnen und -maler, die an dieser Malerei, in Kombination mit Blütenmotiven, Freude haben.

Der zweite Schwerpunkt des Buches liegt auf den Blumen: Ich liebe die naturalistisch weich schwingenden Blüten sehr (Abb. S. 20 bis 23, 64-65) und die kleinen Streublümchen samt Schmetterlingen und Insekten aus der Natur oder nach meiner Fantasie, die besonders bei kleineren Porzellanobjekten zum „Hingucker" werden. Während meiner fünfzigjährigen Tätigkeit als Porzellanmalerin hat sich ein Teil meiner Ideen für die Goldmalerei (die ich gerne in Verbindung mit kleinen Röschen, Veilchen und Vergissmeinnicht setze) zu einer ansehnlichen Sammlung von Bordüren-Dekoren verdichtet. Ich habe unzählige Service, be-

sonders gerne aber Mokkatassen gemalt, wobei ich die Einzelstücke (die Tassen mit den entsprechenden Untertellern) immer geringfügig anders gestaltet habe. Dabei ist es für mich eine Selbstverständlichkeit, nur einfache Porzellanformen zu wählen, die allerdings von allererster Qualität sein müssen. Die Dekore für sich sind viel zu kompliziert und durch ihre mandala-ähnliche Wiederholung und Endlosigkeit viel zu wirksam, um sie auf barocke Formen zu malen. Seit vielen Jahren habe ich so manchen Randdekor in mehreren Skizzenbüchern festgehalten. Ich möchte Ihnen auf den Seiten 7, 8, 34-37 einige Beispiele davon vorstellen. Es hat sich auch immer wieder gezeigt, dass gerade diese Randdekore auf einfachen Porzellanformen am besten zur Geltung kommen. Die Bordüren heben sich von den übrigen Randdekoren schon deshalb ab, weil sie auf einen kompakten Effekt hin ausgerichtet sind. Dies gilt gleichfalls für die nicht so komplizierten Ränder, die ohne Reliefpunkte und -linien in reiner Goldarbeit ausgeführt wurden. Das Porzellan muss aber in jedem Fall makellos sein, da sich

kleine Unebenheiten weder im Muster noch auf der weiß bleibenden Tellerfahne einfach zudecken lassen. Der Vorteil der Muster-Unikate, die in einer solchen Variantenvielfalt gefertigt werden, dass man ganze Service und Zierteile mit immer neu wirkenden Mustern versehen kann, liegt vor allem darin, dass der Arbeitsgang immer gleich abläuft. Je mehr Erfahrung ein Hobbymaler beim Übernehmen der Muster entwickelt, desto schneller wird er auch zu eigenen Mustern kommen, was ihm sicherlich Spaß und Befriedigung geben wird. Ich selbst habe in meiner langjährigen Tätigkeit die Dekore immer mehr verfeinert und oft große Geduldsarbeit aufgebracht, müssen doch diese filigranen Arbeiten mit unbedingter Exaktheit und Sauberkeit ausgeführt werden. Dies soll aber nicht heißen: stur! Kleine Musterabweichungen sind nötig! Denn eine Arbeit, die wie ein Druck oder ein Abziehbild wirkt, hat keine Seele. Mit meinen Vorlagen möchte ich Sie ermuntern, mit Courage an die Arbeit zu gehen und vor allem am Anfang nicht die Geduld zu verlieren.

*Margrit Marr*

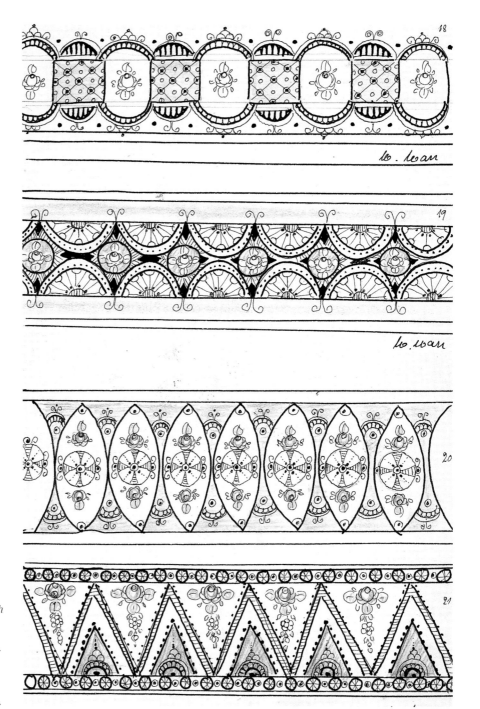

Einige Beispiele von Bordüren. Sie lassen sich auf verschiedenen Geschenkartikeln wie Mokkatassen, Dosen, Konfektschalen oder ganzen Servicen verwirklichen. ▶

Some examples of edges. They can be used for all sorts of presents like mocha cups, boxes, dishes for sweets or entire services. ▶

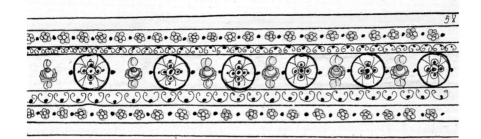

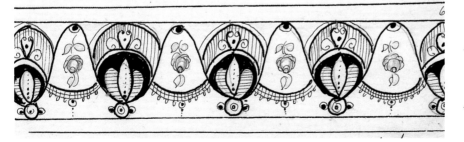

◀ *Weitere Bordüren aus meinem Muster-*
*buch, in dem ich Jahr um Jahr neue*
*Dekorideen eingetragen habe.*

◀ *Some more borders from my pattern book*
*in which I, year after year, noted down*
*new ideas for decorations.*

# Foreword

## Der Arbeitsplatz

Die Beleuchtung beim Arbeiten spielt eine ganz wesentliche Rolle. Tageslicht ist am besten, es sollte, wenn möglich, von links einfallen (wenn Sie Rechtshänder sind). Tageslichtähnliches Norm-Licht von 6.500° Kelvin Farbtemperatur garantiert, dass die Farben auf all Ihren bemalten Einzelteilen gleich ausfallen, egal, ob Sie abwechselnd bei Tageslicht oder Kunstlicht arbeiten. Suchen Sie sich einen ruhigen Platz, an dem Sie ungestört und konzentriert sitzen können. Es sollte stets der gleiche Platz sein, damit Sie auch einmal alles liegen und stehen lassen können und nicht ständig aufräumen müssen. An einen Arbeitsplatz, der einen erwartet, geht man psychologisch gesehen viel freudiger wieder heran. Ob Sie den Teller, die Tasse oder die Kanne freihändig malen oder lieber eine Armstütze verwenden, bleibt Ihnen überlassen. Damit Ihre Farben länger sauber bleiben, sollten Sie aber unbedingt auf Staubfreiheit achten. Um diese zu unterstützen, hilft der richtige Bodenbelag, etwa ein versiegelter Holzboden oder ein Kunststoffbelag: beide sind sehr leicht zu reinigen.

## For my borders with fine gold work and gold lace

This book is on the one hand meant for all those who again and again ask for my gold lace, and fine gold work with or without relief (with blanc fixe) – and also for all porcelain painters who enjoy this kind of painting combined with blossom motifs. The second important part of this book are the flowers: I just adore natural softly moving flowers (ill. p. 20-23, 64-65), the tiny scatter flowers, and butterflies and insects from nature or from my own fantasy, that are so eye-catching (especially on small objects). During my fifty years as a porcelain paintress, some of my ideas for gold painting (that I love combining with small roses, violets and forget-me-nots) have formed a considerable collection of decorations for borders. I painted countless pieces, especially mocha cups, whereby I made every single piece (the cups with matching saucers) slightly different. It is a matter of course for me to only select simple porcelain shapes in premium quality. The decorations are too complicated and so striking with their mandala-like repetition and endlessness, to paint them on baroque shapes.

For many years I noted lots of edge designs in several sketchbooks. On pages 7, 8, 34-37 I'd like to show you some examples. Time and again it appeared that especially these edge decorations look best on simple porcelain shapes. The borders differ from other edge decorations, in that they aim for a compact effect. This also counts for the less complicated edges that were done with pure gold without relief dots or lines. The porcelain must in any case be faultless, as small uneven spots are hard to cover in a pattern or on an edge remaining white.

Unique patterns are made in so many variations that one can always provide entire sets and decorative pieces with decorations that look new. The main advantage is that the procedure always ends the same. The more experience a hobby painter develops with copying patterns, the faster he will create his own style, which will surely give more enjoyment and satisfaction. I myself refined the decorations more and more during my many years of painting, and often completed jobs with lots of patience, when they had to be done with absolute precision and cleanliness. But this doesn't mean: doggedly! Small differences in the pattern are necessary! Nobody wants to have a decoration that looks like a transfer. With my examples I would like to encourage you to start working and, above all, not lose your patience at the beginning.

*Margrit Marr*

## The working place

Light plays a very important role when you are working. Daylight is best of all, and should, when possible, come from the left (if you are right handed). The basis for artificial light equalling daylight is 6.500 degrees Kelvin colour temperature, at which it makes no difference whether you work with artificial or daylight. Choose a quiet place where you can work with concentration and at peace. It should always be the same place, so that you can leave everything as it is and won't have to clear things away. Viewed from a psychological viewpoint, one returns much more happily to a working place „waiting" for you. It is up to you whether you want to paint a plate, cup or a jug freehand, or rather use a painting support. To make sure your colours will stay clean longer, you must watch out for dust. It helps when you have the right floor cover, like a closed wooden floor or nylon carpet: both are very easy to clean.

# Benötigte Materialien und Pinsel

Porzellanmalfarben in Pulverform zum Anmischen
Dicköl und Nelkenöl
Tusch-Zeichenfedern
Zwei bis vier Pinsel: Nr. 2, lang, Nr. 4, kurz; Nr. 5 kurz und ein weicher Kielpinsel
Allstabilo-Stift (für die Skizzen)
Wattestäbchen zum Auswischen der Farben
Schaumgummi-Stupfer oder Schwämmchen zum Stupfen von farbigem Fond
Iris-Lüsterfarbe oder Kupferlüster für besondere Wirkungen
Glanzgold, Glanzsilber, 30%iges Poliergold
Polierer

## Pinsel

Bei Pinseln bevorzuge ich Da Vinci-Pinsel der Größen 3 bis 6, außerdem benötige ich Kielpinsel (mit breiter Malfläche) in verschiedenen Größen, und selbstverständlich Federn für Goldarbeiten.

◄ *Ein Blumenbukett, mit Buntstiften ausgeführt (siehe auch Seite 9).*

◄ *A flower bouquet executed with colour pencils (see also page 9).*

## Malmaterialien für die Goldarbeit

Sie benötigen:
Tuschfedern mit jeweils sehr guter Spitze
einen feinen Kielpinsel
einen langen, feinen Kielpinsel
Gold, mit einem Anteil von 30% Poliergold (z. B. von Heraeus)
Glanzgold, zur sparsamen Verwendung als Tupfen (s. Abb. S. 33)
Glanzplatin, zur sparsamen Verwendung

### Mein Tipp:

Verwenden Sie für die verschiedenen Goldpräparate separate Federn!
Falls Sie zum ersten Mal Gold aufbereiten, ist es die Mühe wert, das Mengenverhältnis, das gute Ergebnisse bringt, zu notieren (so viele Gramm Pigmente, so viele Tropfen Öl). Ist das Gold nämlich zu dünn angemacht, läuft es breit, und von feinen Linien kann nicht mehr die Rede sein. Zu dickes Gold ergibt dafür viel zu breit und zu fett wirkende Linien.

## Die Weißware

Ich benutze sehr gerne die alten Formen der berühmten Manufakturen von Limoges, von Kaiser und Fürstenberg Porzellan. Ich habe auch einige Herzdosen der Firma Tirschenreuth bemalt. Da ich exklusiv für die Firma Meister Silber AG in Zürich arbeite, habe ich es mir zu einem Grundsatz gemacht, nur Porzellan mit solchen Formen und Dekorationen (Durchbrüche, Reliefs) zu bemalen, die es in der reinen Silberausführung nicht gibt. Zur Formenvielfalt und Qualität des Porzellans ist leider zu konstatieren, dass immer mehr Firmen ihre Produktion einstellen müssen und man an einige sehr schöne alte Formen einfach nicht mehr herankommt. Ein wirklich großes Problem für uns Porzelliner! Denn nur edelstes Porzellan ohne Fehler, in exquisiter Formgebung, kann den Ansprüchen und Kenntnissen des fortgeschrittenen Malers gerecht werden.

# Materials and brushes that you need

Porcelain powder paints for mixing
Fat oil and clove oil
Pens for drawing
At least four pointed brushes: no. 2 long, no. 4 short, no. 5 short, and a soft quill brush.
All-stabilo pencil (for the sketches)
Cottonwool sticks for removing paint
Plastic foam sponges for sponging a coloured background
Iris lustre or copper lustre for special effects
Bright gold, bright silver, 30% burnishing gold
Glassfibre brush for burnishing

## Brushes

I prefer the Da Vinci brushes sizes 3 – 6, I also need quill brushes in several sizes, and of course brushes for the gold work.

## Materials for working with gold

You need:
Pens with very good nibs
A small quill brush
A long, fine quill brush
Burnishing gold with 30% gold content
Bright gold, for occasional sponging (see ill. p.33)
Bright platinum (used occasionally)

### My tip:

Use different pens for every different gold product! If this is the first time you have worked with gold, it is worthwhile to note down the mixing proportions that gave good results (so much pigment, so many drops of oil). The gold will spread if it has been mixed too thin, and one can't talk of fine lines anymore. With gold that has been mixed too thick, you get much too thick and wide lines.

## The whiteware

I like using old shapes from famous porcelain factories from Limoges, and from Kaiser and Fürstenberg porcelain. I have painted on some heart-shaped boxes from the Tirschenreuth company. Because I work exclusively for the company Meister Silber AG in Zurich, I have made it my rule to only paint on porcelain with shapes and decorations that are not available in silver. It is sad having to conclude that more and more factories have to close down, and some very beautiful old shapes just aren't available anymore. A really big problem for us porcelain painters – as only the noblest, faultless porcelain with exquisite shapes is worthy of the wishes and knowledge of the experienced painter.

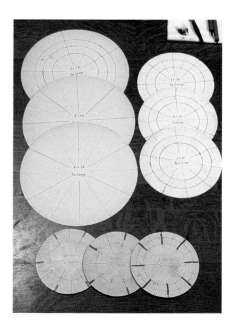

*Vase mit schön geschwungenen Henkeln, hellblauem Fond, Röschen und Vergissmeinnicht – außerdem reich mit filigraner Goldarbeit und Reliefpünktchen verziert.* ▶

*A vase with beautifully curved handles, light blue background, small roses and forget-me-nots.* ▶

◀ *Kartons zur Randeinteilung von Tellern.*

◀ *Carton pieces for arranging bordes on plates.*

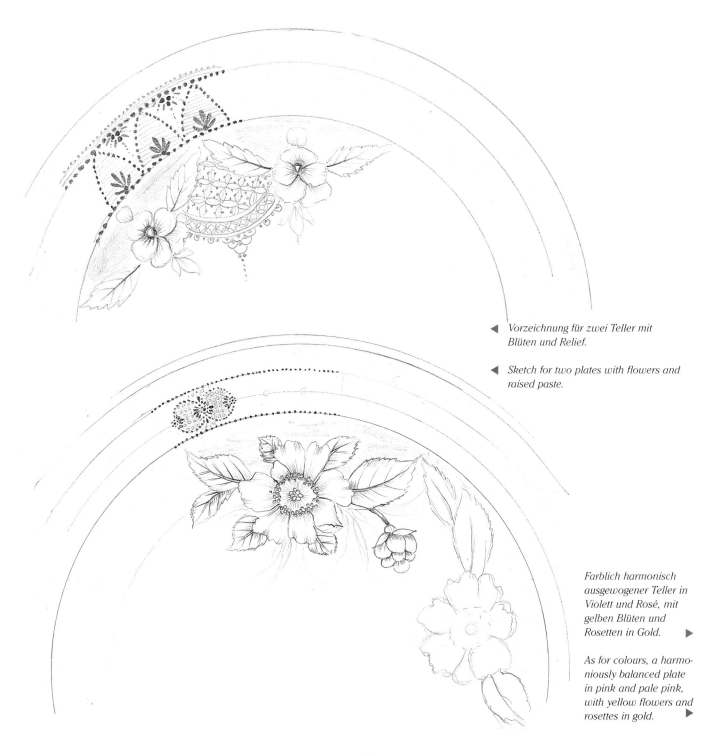

◄ *Vorzeichnung für zwei Teller mit Blüten und Relief.*

◄ *Sketch for two plates with flowers and raised paste.*

*Farblich harmonisch ausgewogener Teller in Violett und Rosé, mit gelben Blüten und Rosetten in Gold.* ►

*As for colours, a harmoniously balanced plate in pink and pale pink, with yellow flowers and rosettes in gold.* ►

14

15

# Die Mal-Ideen

Das schwierigste Problem scheint mir für den nicht so geübten Maler oft die Frage zu sein: Wie teile ich meine Motive auf dem Malgrund richtig ein, welche Dekore male ich auf welches Porzellanstück (Teller, Schälchen, Tasse, Kanne, Eierbecher usw.). Es hilft immer, sich viele gute Porzellanstücke in Museen und in Büchern anzuschauen, auch, anfangs Motive abzupausen und das Geheimnis ihrer harmonischen Wirkung beim Nachmalen plötzlich verstehen zu lernen. Die Motive aus der Natur sind zahllos, oft muss man einige Fantasie anwenden, um eigentlich große Pflanzen als Miniaturen umzusetzen. Anregungen hole ich mir aus Naturkunde-Büchern, wie etwa dem wunderbaren Werk von Maria Sibylla Merian, der deutschen Naturforscherin und Malerin des 17. Jahrhunderts, von Fotos; für ungewohnte, aber wirkungsvolle Farbkombinationen dienen mir auch Anregungen aus der Welt des Balletts, von Musicals und Shows sowie dem Eiskunstlauf. Wenn ich dagegen meine kleinen Blümchen male, kommen mir die Ideen und der Wunsch, Neues zu erproben, während des Malens immer schon

von ganz alleine. Ich weiß dann plötzlich, wie ich die Farben und Musteranordnung beim nächsten Stück neu variieren werde. Wenn Sie erst einmal vom Zauber der Spitzen und Miniatur-Blumen gepackt sind und üben und üben, wird es Ihnen eines Tages nicht anders ergehen.

## Zur Technik der Randeinteilung

Ohne gute Vorbereitung wird auch bei einem noch so kleinen handbemalten Porzellangegenstand (ob Eierbecher, Serviettenring, Espressotasse samt Untertasse oder ein Fingerhut) kein gutes Malergebnis zu erwarten sein.
Für einen Teller, eine Untertasse, aber auch für ein Porzellanei müssen Sie auf verschiedenen Kartons diverse Einteilungen herstellen, wie die Abbildung Seite 12 zeigt. Für Dosen, Vasen, Eier und andere Hohlteile ist ein flexibleres Material wie etwa Pergamentpapier geeigneter. Sie können es, passend zurechtgeschnitten, wie eine Manschette um das Porzellanstück legen; die Einteilung erfolgt hier

nach Zentimetern. Die Teilungsscheiben aus Karton für runde Flachteile teilen Sie dagegen mit Hilfe eines Zirkels in die von Ihnen gewünschten Abschnitte.
Nach dieser Vorarbeit können Sie mit dem Allstabilo-Stift (Nr. 8008) das Zeichnen beginnen und nach dem Beispiel der Abbildungen Seite 17 Schritt für Schritt vorgehen. Sehr wichtig ist die Harmonie der Farben, speziell, wenn Sie einen Fond verwenden möchten: Dieser sollte entweder Ton-in-Ton gehalten sein (zum Beispiel Purpur als Hintergrund für Röschen). Zu einem Fond im Capucine-Ton passt ein Röschen auf keinen Fall! Andererseits macht sich vor einem zarten Grün fast jede Blume gut, was leicht verständlich ist, da in der Natur das zarte Blattwerk die Blumen harmonisch einrahmt.

*Die Aufteilung eines Fond-Musters mit Hilfe der Teilungsscheibe. Erster Schritt (links oben): Aufzeichnen der richtigen Abstände, dann: Auftragen des rosa Fonds, weiterhin: Anlage der Blümchen und zuletzt: Goldarbeiten.* ▶

*The dividing up of a background pattern with help of a template (page 12). Drawing of the correct distances (above, left), next: application of the pink background, then: first painting of the small flowers, finally: gold work and finish.* ▶

17

# Painting ideas

Achten Sie bei der Farbanlage auch auf mindestens dreierlei Strichstärken: fein, mittel und dicker. Damit lassen sich schon ganz früh – neben einer Verwendung von Farbe in verschiedenen Intensitätsstufen – Schattenstufen andeuten. Bei den Goldarbeiten sollten Sie ebenfalls darauf achten, die Ornamente in verschiedenen Stärken aufzutragen; experimentieren Sie ruhig mit verschiedenen Goldarten. Die sich daraus ergebende Lebendigkeit des fertigen Stückes wird dann bei niemandem den Eindruck hervorrufen, es könnte sich um industrielle Massenware oder um billige Foliensiebdrucke handeln. Kleine Abweichungen bei der Ornamentik oder in der Farbigkeit tragen vielmehr zur Qualität und Ausstrahlung eines handbemalten Porzellanstückes bei, ganz zu schweigen von der Magie und Mystik der Pigmente – sicher auch ein Grund dafür, warum handgefertigte Qualitätsprodukte (wie ein mit Naturfarben handgeknüpfter Teppich) mit einem kleinen „Trompe-l'oeil", etwa durch einen winzigen, kaum bemerkbaren Farbwechsel, eine so absolute Qualitätssteigerung bewirken.

It seems to me that for the less experienced painter the most difficult problem is: how do I arrange the motifs correctly on the surface to be painted, which decoration on which porcelain piece (plates, dishes, cups, jugs, egg cups etc.). It always helps a lot to look at good pieces in museums and in books. It also may be advisable to trace some motifs in the beginning and to learn the secrets of their harmonious looks before you start painting. There are countless motifs in nature, but one must often use some imagination to convert plants that are really quite big, into miniatures. I use ideas from books about nature, like for example the wonderful work from Maria Sybilla Merian, the Dutch nature explorer and paintress of the 17th century, and from photos. Unusual but effective colour combinations are also inspired by the ballet world, musicals and shows, as well as ice skating shows. When I, on the other hand, paint my small flowers, ideas and the wish to try something new, begin all by themselves. Then I just know how to arrange colours and motifs differently on another piece. On the day that you are caught by the magic of lace and miniature flowers and practise and practise, the same will happen to you.

## The technique of arranging a border

You can't expect good results from a handpainted porcelain object, be it ever so small (like egg cups, napkin rings, espresso cups with saucer, or a thimble), without good preparations. For a plate, a saucer, and also a porcelain egg, you must make different divisions on several carton pieces, as shown on page 12. For boxes, vases, eggs and other hollow pieces, use a pliable material like parchment paper. Cut down to the right size, you can lay it like a cuff around the piece; the division is done here with centimetres. But the carton templates for round pieces you make with a pair of compasses. After this preparation you can start drawing with the All-stabilo pencil (no. 8008) and follow the example from page 17 step-by-step. It is very important that the colours combine well, especially if you are going to use a background: these should be colour-coordinated (for example purple as a background for small roses).

A red capucine background with a small rose does not look good at all! A soft green, on the other hand, looks good with any flower, which is easy to understand as foliage in nature frames flowers most harmoniously. When you apply paint, take care that you have at least three different kinds of strokes: fine, medium and strong. With that you can already in the early stages indicate shades.

Also with gold work you should take care that the ornaments are brought on in different strengths; yes, you can even experiment with different golds. The liveliness achieved on the finished piece, will not leave anybody thinking that this is an industrial piece or a transfer. Small differences in the ornaments or colours will contribute to the quality and looks of the piece, leave alone the magic and mystic of the pigments – surely also the reason why a small „Trompe l'oeil", like a hardly noticeable colour difference, raises the value of handmade products (like a hand-knotted carpet dyed with natural dyes).

▲ Ein klassischer Teller mit feiner Spitzenarbeit, zum Teil auf rosafarbenem Fond, mit Röschen- und Vergissmeinnicht-ranken sowie Randdekor in Zartgrün, Gold und Goldrelief.

▲ A classic plate with fine lace work, partly on a pink coloured background, with small roses and forget-me-not garlands, and edge with soft green, gold and gold relief.

# Vier Teller mit Wiesenblumen

## Motive "Akelei", "Hecken-rosen" und "Seerose"

Diese eleganten Blumensträuße werden von mir im Stil der Jahrhundertwende rein dekorativ gemalt.

– Teilen Sie Ihren Teller mit Hilfe einer Teilungsscheibe (siehe Abb. Seite 12) in acht Felder ein. Die Bereiche, innerhalb derer der Dekor entstehen soll, decken Sie gut mit Abdecklack ab. Lassen Sie den Lack vollständig trocknen (15 bis 30 Minuten mindestens).

– Tragen Sie den Fond auf und stupfen ihn mit Hilfe eines Gummistupfers schön gleichmäßig. Ziehen Sie daraufhin den Abdecklack mit einer Pinzette ab. Danach erfolgt der erste Brand bei 820°C.

– Überlegen Sie nun die mit Stabilostift angezeichneten Blümchen mit Farbe und tragen anschließend die Reliefpünkt-chen auf. Erneut brennen bei 820°C.

– Schattieren Sie die Blümchen mit der Feder und brennen Sie sie bei 760°C.

– Führen Sie die Goldarbeit mit der Feder und dem Pinsel aus und brennen bei 760°C.

◀ Teller mit weißer Heckenrose.

◀ Plate with white briar-rose.

### Allgemeines

Ich nehme nur wenig Farbe auf den Pinsel, um zunächst zarte Lasuren aufzutragen (Abb. Seite 26). Dann brenne ich zum ersten Mal bei 820°C. Im Unterschied zur Meissentechnik sind bei den Blumen keine speziellen Farben vorge-schrieben, sodass Sie Ihre Lieb-lings-Farbkombinationen verwen-den können. Bringen Sie unbedingt Mut dafür auf, die Farben auch zu mischen. Es wird mit Schwung ge-malt, aus dem Handgelenk heraus, so wie Sie es auch machen wür-den, säßen Sie mit einem Aquarell-block und Aquarellfarben im Freien. Einige Lockerungsübungen für die Hand, bei denen Sie mit ei-nem Stift einige Minuten lockere Achten, Kreise und freie, schwung-volle Formen aufs Papier bringen, helfen Ihnen bestimmt, eine anfäng-lich verkrampfte Handhaltung zu vermeiden. Kontraste in der Farbigkeit zwischen den Blüten und dem Blattwerk machen sich immer gut. Zum Beispiel werden weiße Blüten durch dunkle Blätter wunderbar gestützt; bei besonders gelungener Betonung der Schatten heben sie sich sogar mit fast dreidi-mensionaler Wirkung vom Weiß

des Porzellanscherbens ab. Helle und dunkle Farben male ich dabei in einem Arbeitsgang (siehe Abb. S. 27), ohne dass es zu Problemen mit den Rändern bei der Farbabgrenzung kommt – wenn nur der Anlagepinsel eine schöne Spitze aufzuweisen hat.

*Der Arbeitsvorgang*
*(am Beispiel der "Seerose")*
– Den Stabilostift nütze ich wie immer zum Aufzeichnen des Motivs. Zum Malen selbst suchte ich mir die Pinsel Nr. 5 und Nr. 6 aus. Die Farbe wird mit Terpentin und ganz wenig Dicköl angemacht, und zwar verwende ich ein Blaugrün für die Hüllblätter; dann noch ein wenig Grün, ein wenig Grau, ein wenig Gelb und etwas Karminrot. Die Hauptfarbe ist Grau. Ich nehme jeweils nur in die äußerste Spitze des Pinsels den gewünschten Farbton auf (Abb. S. 26) und setze ihn an die Stelle, an der ich ihn haben will. Für die nächste Stelle kann ich gleich wieder einen Hauch einer anderen Farbe in die Spitze aufnehmen (Abb. S. 27) und weitermalen. Zwischendurch muss ich allerdings ein paar Mal ganz we-

nig Öl dazu nehmen, da die Farben trocken angemacht wurden.
– Durch das Setzen von „Druckern", was man schon in den ersten Stunden im Porzellanmal-Kurs lernt, ergeben sich verschiedene Farbfolgen und -stärken ganz von selbst.
– Lassen Sie immer von Anfang an genügend Weiß auf dem Scherben stehen, denn es unterstützt die räumliche Wirkung Ihres Dekors ungemein, wenn Sie dieses nicht „zupflastern". Wattestäbchen oder um einen Pinsel gewickelte Watte können Sie immer gleich nach dem Auftrag nutzen, um zu viel Farbe zu entfernen oder gezielt Teile in einem Dekor wieder „herauszunehmen", „auszuwischen", um dort eventuell später andere Akzente zu setzen (Abb. S. 28).

## Mein Tipp:
Wenn ich gelbe Farbe hernehme, verwende ich gerne einen Kielpinsel, weil man damit gute Abgrenzungen zu anderen Farben schaffen kann. Der Kielpinsel ist außerdem weicher als die anderen Pinsel, was beim Malen bewirkt, dass

die Leuchtkraft der Farbe Gelb noch besser zur Wirkung kommt. Nähme man einen härteren Pinsel, würde dieser zu viel vom Gelb wegnehmen, was die Strahlkraft beeinträchtigt. Beim Einsetzen von Staubgefäßen in Blüten nehme ich ganz wenig Rot dazu.

– Für die Seerosen-Stiele trage ich zuerst etwas Pompadour-Farbe auf und setze wenig Grün darüber, was dem Ganzen „Licht" verleiht.
– Für jedes Grünblatt nehme ich als Grundfarbe Gelbgrün mit dem ganzen Pinsel auf, um dann gleichzeitig die Pinselspitze mit ein wenig Russischgrün, Olivgrün oder manchmal sogar ganz wenig Schwarz zu benetzen. So entsteht beim Malen – natürlich erst mit einiger Übung – ein heller und ein dunklerer Lasurstrich zur gleichen Zeit, und die Blätter haben dann nicht immer das gleiche Grün. Vergessen Sie dabei nicht, immer wieder etwas Öl in die Farbe zu geben!
– Die Vergissmeinnicht male ich sogar mit etwas Türkis. Mit dem weichen Pinsel nehme ich wieder

das Gelb hinzu (Abb. S. 29). Für das Vergissmeinnicht male ich etwas Schatten ein.

*Ein Wort zu den Ölen:*
Wenn es auch noch so viele Öle im Handel zu kaufen gibt, so reichen doch für unsere Zwecke die bewährten Öle Dicköl, Terpentin und Nelkenöl aus.

## Mein Tipp:

Der im Handel erhältliche, zumeist mit Wasser verdünnbare Abdecklack bildet eine einheitliche, dickflüssige Schicht, die nach dem Hartwerden gut abgezogen werden kann. Achten Sie aber peinlich genau darauf, dass keine Rückstände beim Abziehen (am besten mit der Pinzette) verbleiben, denn beim Brennen hinterlassen sie hässliche Spuren. Verwenden Sie einen extra Pinsel nur für die Abdeckarbeit!
Wenn Sie Ihr Stück mit Farbe überstupft haben, müssen Sie den Abdecklack gleich abziehen, da er sonst erneut zu weich würde, was das Entfernen wirklich sehr erschwert.

*Wiesenblumenteller mit Akelei.* ▶

*Plate with meadow flowers and columbine.* ▶

*Teller mit zarter Heckenrose.* ▶

*Plate with soft briar-rose.* ▶

# Four plates with flowers of the meadow

## Motifs with columbine, briar-roses and waterlily

I paint these elegant and purely decorative flower bouquets in the style of the turn of the century.

- Divide the plate into eight with help of a template (see ill. p. 12). With resist cover the parts to be decorated. Let it dry well (at least 15 to 30 minutes).
- Apply the background colour and sponge it smooth with a fine-pored plastic foam sponge. Remove the resist with tweezers. First firing at 820°C.
- Apply the first painting on the small flowers that were drawn with the Stabilo pencil, and bring on the raised paste dots. Fire once more at 820°C.
- Shade the flowers with the pen and fire at 760°C.
- Do the gold work with pen and brush and fire at 760°C.

### General points

I take very little paint on the brush for soft colour washes (ill. p. 26). First firing at 820°C.
You can use your favourite colour combinations as, compared to the Meissen technique, no special colours are dictated here. Do not hesitate to also mix your colours. Paint flowingly with a loosely moving hand, the same way as you would do when sitting in the open with watercolour paints and a pad. Some movement exercises to loosen your hand (such as: using a pencil you draw loose eights, circles and swinging shapes on paper) will surely help you avoid starting with a cramped hand. Contrast between the flowers' colours and foliage always looks good. White flowers, for example, are wonderfully „supported" by dark leaves; with well-defined shadows they even protrude with a three dimensional effect from the white porcelain. I paint light and dark colours in one go (see ill. p. 27), without getting problems with the edges of the paint's limit – provided the brush for the first painting is nicely pointed.

### Procedure
### (for the waterlily example)

- For the drawing of the motif I use as always the All-stabilo pencil. For the painting itself I selected the no. 5 and 6 brushes. The paint was mixed with turps and very little fat oil, and I used a blue green for the sepals; next a little green, a little grey, a little yellow and some carmine. Grey is the main colour. I only take the desired colour on the very tip of the brush (ill. p. 26) and apply it where I want it. In this way I can immediately on the tip pick up a trace of another shade (ill. p. 27) for the next part. In-between I must add some oil a few times, as the paints were mixed rather dry.
- With applying more or less pressure on the brush, something you learn in the first hours of a porcelain painting course, you automatically get different painting effects.
- Always leave enough white on the porcelain, the three-dimensional effect of your decoration is supported greatly when you don't „pave it over". Cottonwool sticks or cottonwool wound around a brush can be used immediately after the application for removing too much paint or „opening up" some parts in the decoration, leaving space to put some other accents on the work later on (ill. p. 28.)

– On the waterlily stems I first apply some pompadour paint and go over it with a little green, which brings the light into it.

– With the entire brush I take up yellow green as the basic colour for every green leaf, and at the same time, on the tip of the brush, a little Russian green, olive green, or sometimes even a little black. In this way one gets – of course only after some practising – a light and dark colour wash in one go, and the leaves do not all have the same green. Do not forget to now and then add some oil to the paint!

▲ *Die Arbeitsfolge am Beispiel des Seerosen-Tellers, Schritt für Schritt: Zunächst zeichne ich die Umrisse des Dekors mit dem Allstabilo-Stift (oben), nehme etwas Öl an die Spachtel (unten)...*

▲ *Procedure for the waterlily plate, step by step: I start drawing the outlines with the Allstabilo pencil (top), I take some oil on the palette knife (below)...*

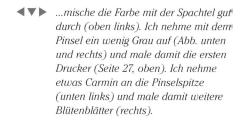

◀▼▶ ...mische die Farbe mit der Spachtel gut durch (oben links). Ich nehme mit dem Pinsel ein wenig Grau auf (Abb. unten und rechts) und male damit die ersten Drucker (Seite 27, oben). Ich nehme etwas Carmin an die Pinselspitze (unten links) und male damit weitere Blütenblätter (rechts).

◀▼▶ ... and thoroughly mix the paint (top left). With the brush I take up a little grey paint (pict. below and on the right) and paint the first brush strokes (page 27, top). I now take a little carmine on the tip of the brush (below left) and paint the other petals (right).

- The forget-me-not I paint with some turquoise. With the soft brush I add again some yellow (ill. p. 29), and I shade the petals.

*A word about oils:*
There may be many oils available, but the trusted fat oil, turpentine and clove oil are sufficient for my painting style.

## My tip:

The more widely available resist, that in most cases can be thinned down with water, gives a compact thick layer that can be pulled off after it is dry. Please take care that no remnants stay behind when you remove it (it is best to use tweezers), as they leave ugly traces in the firing. Use a separate brush for resist!
Remove the resist straightaway after you have sponged a piece with paint, as otherwise it would become soft again, making it difficult to remove.

◀▶ *Die Blütenmitte putze ich mit Watte sauber aus (oben links). Mit Chromgelb füge ich das Blüteninnere hinzu (oben Mitte). Mit Pompadour male ich die Blütenstempel und Stiele der Pflanzen (oben rechts, unten links). Für das Blattwerk nehme ich zuerst Hellgrün mit dem Pinsel auf (unten rechts). Dann nehme ich abwechselnd Russischgrün, ganz wenig Schwarz und auch etwas Capucine in die Pinselspitze: so erhalten Sie mit einem Pinselandruck ein plastisches Blattwerk (Abb. Seite 29 oben). Zum Schluss füge ich mit Türkis die Vergissmeinnicht hinzu (unten).*

◀▶ *I thoroughly clean the centre of the flower with a cotton stick (above on the left). With chromium yellow I add the heart of the flower (above centre). The stamens and stems of the plant are now painted with pompadour (top right, below left). For the foliage I first take light green on the brush (below right). Next I take, one after the other, Russian green, very little black and a little capucine on the tip of the brush: in this way you paint three dimensional foliage with just one stroke (p. 29, top). Finally I add the forget-me-nots with some turquoise (below).*

30

▲ Blumenbordüren eignen sich am besten für glatte, einfache Porzellanformen. Bei runden Formen muss mit der Einteilungsscheibe vorgezeichnet werden, manchmal kann man bei den Anschlüssen etwas schummeln oder Teile des Wiederholungsmusters weglassen.

◀ Die Blüten, die aus goldenen Körben quellen, symbolisieren reiche Fülle. Die Girlanden in Gold zieren auch den durchbrochenen Tellerrand.

◀ The flowers that spill from golden baskets symbolize rich abundance. The garlands in gold also decorate the pierced edge of the plate.

▲ ◀ Flower borders are most suitable for smooth, simple porcelain shapes. Round shapes must be divided up with help of the template; one can often cheat a little at the connections, or leave out parts of the repeating pattern to make it fit.

▲▶ Kamelien vor einem goldenen Hintergrund, am Tellerrand versehen mit reicher Goldarbeit, verraten erlesenen Stil.

▲▶ Stylized white camellias on a gold background, provided with rich gold work on the plate's edge, betray a superior style.

# Goldspitzen

Ich zähle meine selbst entworfenen Dekore zur klassischen Malerei. Dennoch habe ich nie alte Dekore kopiert, dafür aber immer neue Dekore im klassischen Stil entworfen.

## Goldbordüren

Ich habe dieses Gold-Reliefband unten zwar gebrannt, aber Sie können den Arbeitsgang der Goldarbeit trotzdem gut nachvollziehen. Alle Umrisse der später aufzutragenden Relieftüpfelchen und -linien werden zuerst links und rechts mit der Feder eingerahmt und mit dem Pinsel ausgefüllt. Verwenden Sie einen feinen Pinsel No. 2, lang. Anschließend wird die feine Goldarbeit mit der Feder ausgeführt.

## Poliergold

### Mein Tipp:

Bei einem Poliergoldrand wirkt es sehr dekorativ, wenn Sie hin und wieder einige Glanzgold- oder Glanzplatintupfer in das Ornament einfügen, dies schafft in der Folge eine sehr belebende Atmosphäre.

## Gold und Lüster

Achtung:
Glanz- und Poliergold darf nicht mit ungebranntem Lüster in Kontakt kommen, da diese Farben leicht ineinanderlaufen, und der Lüster dann nicht den gewünschten Effekt hat (eine Beachtung der Trockungszeit von Lüster ist nicht immer eine Garantie, dass dies nicht doch passieren kann!)

# Gold lace

I classify the decorations that I designed with classical painting. Still, I never copied old decorations but always designed new decorations in classical style.

## Gold borders

Although I already fired this raised paste band with gold (p. 32) it is no problem for you to understand the procedure. All outlines of the tiny raised dots and lines that will be applied later on, are first on the left and right framed with the pen and filled in with a brush. Use a long no. 2 brush for this. Next the fine goldwork is done with the pen.

## Burnishing gold

**My tip:**
It looks very decorative when, in a border with burnished gold, you now and then apply a few bright gold or bright platinum dots in the ornament, it makes it all very lively.

## Gold and lustres

Beware:
Bright gold and burnishing gold should not touch unfired lustres, as these paints easily mix and the lustre would not get the desired effect (this can happen even when the lustre has thoroughly dried!)

◄► *Mehr als nur zweidimensional: Goldspitzen-Arbeiten.*

◄► *More than just two dimensions: work in gold lace.*

34

*Die zahllos gesammelten Bordüren in meinem Musterbuch lassen sich mit Fantasie immer wieder neu abändern.*

*The countless collected borders in my pattern book can, with some imagination, be altered again and again.*

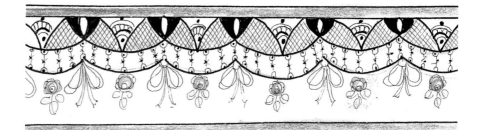

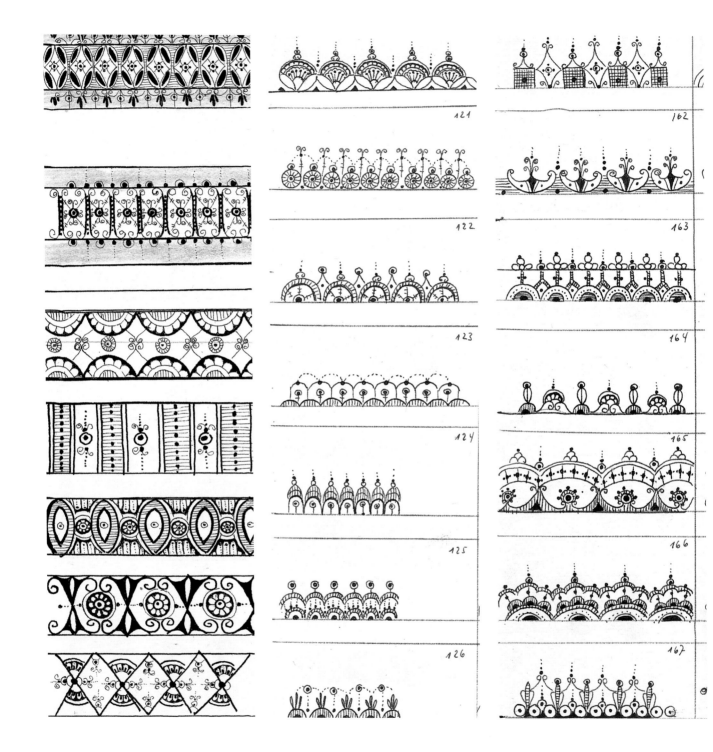

121

122

123

124

125

126

162

163

164

165

166

167

36

◄ *Wenn Sie andere Blümchen nehmen* ►
*oder ihnen andere Farben geben, wird*
*die Wirkung auch jedes Mal unterschied-*
*lich sein.*

◄ *If you take different flowers or paint* ►
*the lace in different colours, the effect*
*will each time be different as well.*

◀ *Große Schale mit Röschen und Vergissmeinnicht in Gold, außerdem natürlich Reliefpünktchen in Gold.*

◀ *Large dish with small roses, forget-me-nots and raised paste dots in gold.*

*Die schöne Form der Schale wurde durch die ausdrucksstarke Blumenkante optimal betont.* ▶

*The beautiful shape of the dish is emphasized greatly by the expressive flower edge.* ▶

▼ *Ein sehr schöner, vieleckiger Veilchenteller mit reicher Goldarbeit.*

▼ *A very beautiful, many-angled dish with violets.*

▼ *Die stilisierten Schmetterlinge ergeben, aus der Ferne gesehen, ein rein geometrisches Muster.*

▼ *Looked at from some distance, the stylized butterflies render a purely geometrical pattern.*

*Goldarbeit auf Espressotassen lässt diese kleinen Objekte zu wahren Juwelen in einer Porzellansammlung werden.*

*Gold work on espresso cups turns these small objects into real gems in a porcelain collection.*

*Durch eine andere Anordnung der Medaillons und durch unterschiedliche Fondgebung erzielt man mit gleichen Blüten eine völlig neue Wirkung. Anregungen für eine Anordnung lassen sich auch beim Betrachten eines Kaleidoskops finden!* ▶ ▼

*With a different arrangement of the medallions and different backgrounds one achieves a totally new effect with the same flowers. Ideas for an arrangement can also be found by looking through a kaleidoscope!* ▶ ▼

# Die Farben

## Grundsätzliches zu den Farben

Für kleinere Arbeiten genügt Ihnen sicher eine Lochpalette, bei größeren Arbeiten oder Serien ist die Verwendung einer Glaspalette zu empfehlen, weil Sie dort größere Mengen Farbe anmachen können. Beim Aufnehmen der Farbe auf den Pinsel sollten Sie für die erste Lasur das Gefühl haben, eigentlich „nichts auf dem Pinsel zu haben", so duftig und leicht ist die erste Anlage durchzuführen.

## Farbkombinationen

Werde ich gefragt, welche Farben ich besonders gerne verwende, führe ich an erster Stelle schon all die Pastellfarben auf: Rosé und Violett, Zartgelb und Hellblau. Auch ohne Capucine kommt ein Porzellanmaler wohl kaum je aus. Diese alle sind die Farben meiner Lieblingsblümchen, die im Kontrast zu Spitzenarbeiten in Gold nun einmal besonders harmonisch und zugleich wertvoll und edel wirken. Rot und Gold haben zusammen aber oft eine genauso herausragen-de Wirkung. Ich habe diese Effekte bei einem Aschenbecher mit eisen-rotem Mohn-Motiv getestet (Abb. rechts).

Bei einem großen Teller (Abb. S. 61) kann ich mich aber auch gerne einmal in eine andere Farbigkeit wie Rosé/Purpur/Blau oder in Arbeiten mit dem Farbton Capucine hineinvertiefen. Diese Töne bieten oft die interessantes-ten Kontraste und liefern, aus der Ferne betrachtet, Anklänge an die exquisiten Farbharmonien spani-scher Azulejos (Fliesen) sowie per-sischer Wandfliesen in tiefem Azur, Türkis und Maronenrot.

Suchen Sie sich Motivbeispiele mit Blumen, die Ihnen gefallen, nach dem Vorbild von Kunsthandwerk aller Völker der Erde; in Büchern, auf Postkarten werden Sie genü-gend Vorlagen finden, und Sie wer-den immer wieder feststellen, dass sich die Verwendung der Farben nach der Harmonielehre der Farben richtet. Grundzüge der Farbenlehre finden Sie gleichfalls in der entsprechenden Fachliteratur. Auf dem Markt gibt es viele Porzellanmalfarben, sei es in Pulverform zum Anreiben, sei es in flüssiger Form in Tuben oder Dös-chen, und sie sind alle von guter Qualität. Ich habe immer gerne mit den Farben der Firma Heraeus ge-malt und sie auch meinen Schülern empfohlen.

### Mein Tipp:

Bei den Rot-Tönen gilt der Grundsatz: Suchen Sie sich ei-nige aus, die Ihnen vom Mus-ter-Plättchen her gefallen, tes-ten Sie sie an einem Probe-stück. Bei jenen mit dem be-sten Ergebnis schreiben Sie sich den Hersteller (falls nicht derselbe), die Farbbezeich-nung und Farbnummer auf Ihre Arbeitsprobe. Wenn Sie einmal ein paar bewährte Lieblingstöne haben, lohnt es sich nicht mehr, immer neue Versuche zu machen (mit mög-licherweise neuen Enttäu-schungen): Bleiben Sie viel-mehr bei Ihren erprobten Tö-nen!

▲ *Aschenbecher, verziert mit Mohnblumen und ornamentalem Randdekor.*

▲ *A dish, ornated with poppies and ornamental edge decoration.*

## Das Anmachen der Farben

Eine erfahrene Malerin, ein Maler mit Vorkenntnissen weiß, dass das Anmachen nicht nur Gefühlssache ist – es gibt hier regelrechte Geheimrezepturen. Die Farben lassen sich dabei durchaus mischen, auch wenn viele Maler behaupten, man dürfe nicht mischen, und schon gar nicht Eisenrot! Ich habe damit bisher noch keinerlei Probleme gehabt.

Um ein wirklich zufrieden stellendes Ergebnis zu erzielen, ist es eine Grundvoraussetzung, dass die Farben mindestens so gründlich angemacht werden, wie dann das Malen erfolgt: Das Anmachen nimmt in der Regel genauso viel Zeit in Anspruch wie das Malen selbst.

Die meisten Hobbymaler machen sich ihre Farben frisch an. Ich habe jedoch die alte Weisheit eines Meistermalers bestätigt gefunden, dass die Farben umso schöner „herauskommen", je öfter sie neu aufgerührt werden. Beim frischen Anmachen werden Sie nie diese Endbrillanz erreichen, im Gegenteil, die Farben werden tatsächlich matt! Wenn Sie aber die auf der Glaspalette aufgespachtelten Farben in kleine Glas-Töpfchen mit verschließbarem Deckel geben und vor Gebrauch immer wieder neu aufrühren, haben sie eine brillante Wirkung. Ich nehme zu diesem Zweck ganz kleine Marmeladen-Glas-Töpfchen, wie man sie im Supermarkt kaufen kann. Je länger Sie die Farben aufrühren, desto leuchtender werden sie. Sollten sie ein wenig eingetrocknet sein, geben Sie einfach ein, zwei Tropfen Nelkenöl hinzu, und schon ist die weiche Konsistenz zum Malen wieder hergestellt.

### Mein Tipp:

Dieser in der Wirkung verblüffende Kniff kommt von einer Schülerin, die diese Erfahrung zufällig gemacht hat. Ich wollte es anfangs auch nicht glauben, denn es klingt nicht nachvollziehbar, funktioniert aber wirklich: Wenn Sie Ihre Glaspalette in einer Schachtel in das Gefrierfach des Kühlschranks legen und sie zwei Stunden vor dem Malen dann herausnehmen, sind die Farben schön weich zum Malen! Und das bis zu einem halben Jahr lang. Sonst hätten Sie sie längst wegwerfen können.

# The paints

## Basics about the paints

A porcelain palette with holes will surely do for small jobs, but for larger work or a series it is better to use a glass palette, as you can mix larger amounts on this.

When you take paint on the brush for the first colour wash, it should feel as if you hardly take up any paint, the first painting must be applied very lightly.

## Colour combinations

When I'm asked which colours I like to use, I start first of all with all pastell shades: pink and violet, soft yellow and light blue. But hardly any porcelain painter can do without capucine. These are the colours of my favourite flowers that contrast beautifully with my gold lace work, and look harmonious and valuable at the same time. But red and gold together often have an effect just as exciting. I tried this on a dish with a capucine poppy (ill. p. 45).

On a large plate (ill. p. 61) I sometimes also love trying other combinations, like pink/purple/blue, or pieces painted with capucine.

These shades often render the most interesting contrasts and, when looked at from a distance, remind one of the exquisite colours from Spanish „Azulegos", Persian wall tiles in strong blue, turquoise and marone red.

Look for motif examples with flowers that you like from art handicraft from people all over the world; you'll find plenty of motifs in books and on picture postcards, and will time and again realize that colours are used according to the theory of harmony for colours. You find the basic rules for colours in specialist colour literature.

There are many porcelain paints available, be it in the shape of powder that must be mixed, or ready-mixed paint in tubes or boxes, and they're all good. I always liked using the paints from Heraeus and also recommended them to my pupils.

### My tip:

There is this basic rule for red shades: select a few from your sample tile that you like, try them on a piece. Write the producer's name (if not all from the same one) with those with the best results, and also the colour name and number on the trial piece. Once you have some favourite shades, it is not necessary to keep testing new colours (with possible new disappointments).

## Mixing the paints

An experienced painter knows that preparing colours is not only a matter of feeling – there are real secret recipes here. Usually the colours can be mixed, even though many painters insist that you shouldn't, and least of all iron red colours. So far I have had no problems with that.

To achieve a really satisfying result, it is a must that the colours are prepared at least as carefully as they are painted with: the preparation takes as a rule just as much time as the painting itself.

Most hobby painters use freshly mixed paints. I found proof though for the old wisdom from a master painter that paints, the more they are stirred, the nicer they come

out. You'll never achieve the final shine; to the contrary, when mixing them anew, the paints will really become matt! So transfer paints that were mixed on the glass palette into small glass dishes, close these with a cover, and they'll be shiny when stirred up before use. I use tiny marmelade glasses for this, that can be bought in the supermarket. The longer you keep stirring these paints, the brighter they'll become. Just add one or two drops of clove oil if they became a bit dry, and the soft consistency for painting will be restored.

▲ *Das Anmachen der Farben.*

▲ *Mixing the paints.*

*Aschenbecher mit Libelle, Goldarbeit, verschiedenfarbige Lüster. Die Flügel der Libelle wurden mit Irislüster gestupft.* ▶

*Dish with dragonfly, gold work, background in several lustre shades. The wings of the dragonfly were sponged with iris lustre.* ▶

◀ *Aschenbecher in Purpur und Gold, mit persönlichem Monogrammbuchstaben „M".*

◀ *Dish in purple and gold, with personal „M" monogram.*

## My tip:

This truly amazing trick comes from a pupil who accidentally discovered it. At first I couldn't believe it as it sounds so strange, but it really works: when you store your glass palette in a box in the freezer and take it out 2 hours before you start painting, the colours are already soft! You can store them like this up to six months. You'd otherwise have had to throw them out long ago.

# Die Beispiele
# Examples

## Rechteckige Schale mit Schmetterling und Insekten in Medaillons

– Zeichnen Sie das ovale Medaillon in der Mitte der Schale auf. Ziehen Sie den Schmetterling mit der Feder in schwarzer Malfarbe aus. Achten Sie dabei auf die Wiedergabe des Falters in verschiedenen Strichstärken. Das Medaillon wird nun außen mit Blanc-fixe-Pünktchen versehen.

– Legen Sie die Blätter und die Beeren mit kräftigen Farben an.

– In gleicher Weise verfahren Sie nun mit den weiteren 4 Medaillons der Schale, deren Insekten und Falter Sie ebenfalls schwarz ausziehen. Nach dem Setzen der Blanc-fixe-Pünktchen (entlang dem ovalen Medaillonrand) und der Farbanlage können Sie sich anschließend die gewünschte Breite des Goldbandes mit dem Stabilo-Stift vorgeben, sodass Sie die schwarzen Linien mit Mattschwarz genau bis zu den Stabilo-Linien aufmalen können (mit einem langen Pinsel Nr. 3). Daraufhin erfolgt der erste Brand mit 820° C.

– Füllen Sie alle Medaillons mit 30-prozentigem Poliergold aus. Ziehen Sie nach dem völligen Trocknen die Linien der Falter zuerst mit der Feder nach, bevor Sie mit dem Pinsel fortfahren, denn das erleichtert Ihnen nicht nur die Arbeit, sondern lässt diese auch wirklich exakt aussehen! Füllen Sie das frei gelassene Band nun ganz mit Poliergold aus. Zweiter Brand mit 760°C.

– Im letzten Arbeitsgang schattieren Sie Blätter und Beeren mit der Feder. Ferner zeichnen Sie die schwarzen Pünktchen oberhalb des Goldbandes mit der Feder. Letzter Brand bei 760°C.

## Mein Tipp

(zum Arbeiten von Konturen mit der Tuschfeder)
Damit Ihnen beim Konturieren von Blüten oder sich „frei" auf dem Porzellanweiß tummelnden Schmetterlingen und In-

sekten die Farbe gut aus der Feder läuft, sollten Sie der mit Dicköl und Terpentin normal angemachten Porzellan-Pulverfarbe noch 1 bis 2 Tropfen Nelkenöl beimischen. Damit lässt sich ein exakter schwarzer, sehr feiner Strich erzielen.

Nach der Farbanlage mit dem Pinsel (ein kurzer Pinsel Nr. 4 ist dafür gut geeignet) und dem Brennen bei Farbbrand-Temperatur (820°C) ist oft eine kleine Nachkorrektur der Umrisslinien nötig. Auch lassen sich weitere Details wie Schatten, Pünktchen, Gittermuster oder Ähnliches einfügen. Dann noch einmal im Farbbrand brennen.

*Aschenbecher mit Schwalbenschwanz, am Rand farbiges Ornament, mit Blanc-fixe-Linien abgegrenzt.* ▲▶

*A dish with a swallowtail butterfly. On the edge a colourful ornament, bordered with blanc-fixe (white base).* ▲▶

◀ *Schale mit schwarzweiß gefleckten Schmetterlingen im goldenen Medaillon. Die schwarzen Streifen am Rand wirken ebenfalls sehr dekorativ.*

◀ *Dish with black and white spotted butterflies in a gold medallion. The black lines on the edge have a very decorative effect as well.*

## Rectangular dish with butterfly and insects in medallions (ill. page 50)

– Draw the oval medallion in the centre of the dish. Draw the butterfly with pen and black paint, with lines of varying thickness. Now apply blanc-fixe dots on the outside of the medallion.
– Paint the foliage and berries with strong colours.
– Continue with the other 4 medallions in the same way, and also here draw the insects and moths with black. After application of the blanc-fixe dots (along the edge of the oval medallion) and the first painting, you can indicate the desired width of the gold band with the All-stabilo pencil. As a result you can paint the

black lines with matt black paint exactly against the pencil lines (with a long no. 3 brush). First firing at 820°C.
– Fill in all medallions with 30% burnishing gold. After this has completely dried, with a pen you first draw the lines of the moth before you continue with the brush, as this not only makes the job easier but also makes the lines look very precise! Now fill in the band, that was left open, with burnishing gold. Second firing at 760°C.
– In the last step shade the foliage and berries with a pen. After this draw the black dots above the gold band with a pen. Last firing at 760°C.

## My tip:

(for drawing outlines with the pen)
To ensure that the paint flows well from the pen when drawing the blossoms' outlines, or the butterflies and insects romping „freely" over the white porcelain, you should mix 1 or 2 drops of clove oil with the paint traditionally mixed with fat oil and turpentine. You achieve very fine, precise black lines with this.
After the first painting with the brush (a short no. 4 brush is well suited for this) and a firing at 820°C, some small corrections of the outlines are often necessary. Other details like shades, dots, fence patterns or the like can also be added. Fire once more.

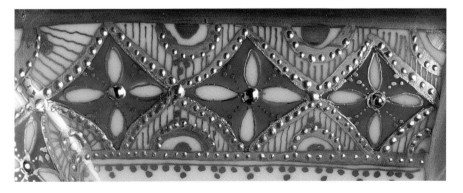

◀ *Detail aus Abbildung Seite 51.*

◀ *Detail from the illustration page 51.*

*Seite 53-55   Natürlich gezeichnete, elegant geschwungene Gräser, von denen es zahlreiche Arten gibt, ergänzen Blumenbuketts auf harmonische Weise. Nehmen Sie auf jeden Fall bei Ihrem nächsten Wiesen- und Waldspaziergang Ihr Skizzenbuch mit.*

*Page 53-55   Naturally drawn, elegantly curving grasses, of which there are many kinds, complete flower bouqets in a harmonious way. Do take your sketchbook with you on your next walk through the meadows and woods.*

## Wandteller mit Tulpen

– Dieser Wandteller lässt sich auch mit anderen Blumen ausführen, zum Beispiel mit Rosen, Kamelien, Lilien, Iris und anderen; in der gleichen oder in unterschiedlichen Farben. Ich habe die Tulpen bewusst in feinen Farben ausgeführt, das heißt, sie nur ganz leicht mit Karmin angedeutet, etwas Grün dazwischengesetzt und Weiß ausgespart. Dafür sind aber die Blätter in kräftigen Grüntönen gehalten. Gleichzeitig habe ich eine reiche, feine Ranke mit weißen Blanc-fixe-Blümchen in den Dekor hineinkomponiert: sie liegt neben, aber auch über den Tulpenblüten und -blättern und ist mit verschieden grünen, feinen und reichhaltigen Blättchen besetzt. Dies lässt sich alles noch vor dem ersten Brand (bei 820°C) ausführen.

– Die Konturen der Tulpen wurden mit der Feder fein ausgearbeitet. Bei den Blatt-Abgrenzungen habe ich am Schluss noch einige Akzente extra gesetzt. Die feinen weißen Blümchen mit ihren vielen Blättchen habe ich unschattiert belassen, dafür wurden die Tulpenblätter wieder mit Schwarzgrün reichlich schattiert. Es ist vor allem die beschwingte, feine Blümchenranke, die den ganzen Dekor so luftig – und nicht im Geringsten überladen – wirken lässt.

## Mein Tipp:

Wenn Sie eine ähnliche Ranke mit anderen Blumen gestalten wollen und dabei andere Farben verwenden, sollten Sie daran denken, dass diese Blüten, fast vergleichbar mit der Aquarelltechnik, ganz leicht gemalt werden. Lassen Sie auch immer weiße Partien frei: umso mehr wirken dadurch die kräftigen Grüntöne!

## Wall plate with tulips

– This wall plate can be painted with other flowers as well, for example with roses, camellias, lilies, irises, with the same or different shades. I consciously painted the tulips with fine colours, that is, only softly indicated them with carmine, with some green in between and leaving some white areas. But the leaves were done in strong green shades. At the same time I „composed" a rich fine tendril with white blanc-fixe flowers into the decoration: it curves next to but also over the tulip flowers and is covered with fine rich tiny leaves in various greens. This can all be done before the first firing at 820°C.

– The tulips' outlines were worked out with the pen. Finally, on the leaves' edges, I haved added some extra accents. I did not shade the fine white flowers with their many petals, the tulips' petals were, on the other hand, shaded strongly with black-green. The fine curving flower tendril makes the entire decoration so light – and not in the least too full.

## My tip:

If you want to use a similar tendril with other flowers and use different colours, you should remember that these flowers are in almost the same way lightly painted with water colours. Always leave some white spaces: the green shades will look stronger with that!

Ein harmonisches Tulpenband auf einem Teller. Die weißen kleinen Blüten sind mit Blanc-fixe aufgesetzt. Der Farbwechsel von Rosa zu kräftig grünen Blättern gibt dem Dekor jugendstilartige Frische und Leichtigkeit. ▼ ▶

A harmonious band with tulips on a plate. The tiny white flowers were applied with blanc-fixe (white base). The colour variation in pink and strong green foliage gives the decoration freshness and lightness in style of Jugendstil. ▼ ▶

57

## Wandteller mit Land-schaften und Kupferlüster-Dekor

– Teilen Sie Ihren Teller nach meiner Vorlage mit dem Allstabilo-Stift ein. Zeichnen Sie die ovalen Medaillons, die eckigen Medaillons und ebenso das runde Medaillon in der Mitte des Tellers ein. Decken Sie alle nicht-eckigen Medaillons mit dem Abdecklack ab; bei den drei eckigen die Rahmen und die Innenkreise; außerdem auch den etwa 1 cm breiten Rand des Tellers. Lassen Sie den Lack gut trocknen. Jetzt wird der Kupferlüster mit dem Kielpinsel (breiten Pinsel) zügig aufgetragen, dabei sehr gleichmäßig und nicht zu dünn. Bitte nicht nachstupfen! Den Lack abziehen und den ersten Brand mit 800°C durchführen.

– Es folgt das Aufzeichnen der Landschaften, die dann mit einem Kielpinsel farbig angelegt werden (mit den Farben Beige, Braun, Capucine und mit Türkis für das Wasser). Unmittelbar danach sollten Sie mit einem Pinsel Nr. 2 um die runden Medaillons, um und in den eckigen Medaillons und auf dem 1 cm breiten Randmotiv die Blättchen und Bogen-Ornamente (mit Pünktchen) mit Mattrelief-Farbe auftragen: Nicht zu dünn und nicht zu dick – das Mittelmaß wäre gerade richtig. Zweiter Brand mit 800°C.

### Mein Tipp:
Machen Sie zuerst eine Brennprobe, wenn Sie zuvor noch nie mit dieser Mattrelief-Farbe gearbeitet haben!

– Die Landschaften werden mit der Feder ausgearbeitet und, wo nötig, werden die Schatten mit dem Pinsel noch einmal nachbearbeitet. Der dritte Brand beträgt 820°C.
– Überdecken Sie alle Reliefarbeiten mit 30-prozentigem Poliergold. Die kleinen Ornamente um und in den eckigen Medaillons können mit der Feder noch überarbeitet werden.
– Bevor Sie den Schlussbrand mit 760°C anwenden, werden noch die dekorativen Goldblättchen auf den Kupferlüster-Fond gesetzt. Das ist wahrscheinlich nicht ganz leicht und bedarf einer sehr guten Ausleuchtung des Malgrunds, da ja das Gold beim Auftragen schwarz ist und der dunkle Lüstergrund die Sicht zusätzlich erschwert. Ideal ist eine Tageslichtlampe mit etwa 6.500° Kelvin Lichtausbeute.

Serviceteile mit brauner Kupferlüster-Malerei.
Auf den Fond mit Kupferlüster wird diese spe-
zielle Goldarbeit aufgebracht, die besonders
scharfe Augen erfordert. Deshalb habe ich
heute auch nicht mehr den Ehrgeiz, einen
solchen Dekor zu malen – für viele jüngere
Kolleginnen dürfte es aber eine reizvolle
Anregung sein.                           ▲▶

Parts of a service with brown copper lustre
painting.
This special gold work was applied on a copper lustre background, for which you need
very good eyes. Therefore I nowadays feel no
longer the urge to paint this kind of decoration – but for many young colleagues it might
be an exciting challenge.                ▲▶

## Wall plate with landscape and copper lustre decoration

– Follow my example for dividing the plate with the All-stabilo pencil. Draw the oval medallions in the plate's centre. With resist cover all not angular medallions, the frame and the inner circle of the three-cornered medallions, and finally a rim on the plate about 1 cm (3/8") wide. Let the resist dry well. With a wide quill brush rapidly apply the copper lustre not too thin with smooth strokes. No sponging afterward! Remove the resist. First firing at 800°C.

– Now follows the drawing of the landscapes and first painting with a quill brush (with the colours beige, brown, capucine, and turquoise for the water). After this, with a brush no. 2 and matt raised paste, bring on the small leaves and round ornaments with dots around the round medallions, around and in the angular medallions, and on the rim: not too thin and not too thick – the in-between is right. Second firing at 800°C.

### My tip:
Test the raised paste in a firing if you haven't worked before with it!

– The landscapes are worked with a pen, and, where necessary, shaded with a brush. Third firing at 820°C.
– Coat all raised paste decorations with 30% burnishing gold. The small ornaments around and in the angular medallions can be touched up with a pen.
– Lastly, before a firing at 760°C, apply the decorative gold leaves on the copper lustre background. You'll probably not find this at all easy, you need good light on the background as the gold is black when applied, and the dark lustre background makes seeing it more difficult. Ideal for this is a daylight lamp of 6.500 degrees Kelvin light temperature.

▼ *Landschaften lassen sich gut in Kupfer-lüster gestalten, auf Sammlertassen sind sie sehr gefragt.*

▼ *Landscapes can be created quite well with copper lustre, they are much sought-after on collector's cups.*

## Ginori Wandteller mit Rosen und dunkelblauem Fond

– Alle Rosenblüten und alle Grünblätter – also die feinen Ranken – wie auch die kleinen Blümchen werden zunächst aufgezeichnet und dann mit heller, grauer Farbe mit der Feder ausgezogen. Erster Brand bei 800°C.
– Auf dem Tellerspiegel (in der Tellermitte) werden sämtliche Rosen, Grünblätter und kleinen Blümchen mit Abdecklack ebenso exakt abgedeckt, wie sie vorgezeichnet wurden. Den Lack gut trocknen lassen und mit dunkelblauem Lüster die nicht abgedeckten Flächen füllen und dabei ganz leicht ausstupfen. Den Abdecklack wie immer mit der Pinzette abziehen und den zweiten Brand bei 800°C durchführen.
– Alle Blumen und Blätter nach meinem Muster unterlegen, die „Herzen" der kleinen hellen Blümchen mit Blanc-fixe-Pünktchen versehen und bei 820°C brennen.
  – Alle Rosenranken schattieren und gleichzeitig die Goldarbeit ausführen. Letzter Brand bei 760°C.

## Ginori wall plate with roses and dark blue background

– All roses and foliage – including the fine tendrils – as well as the tiny flowers are first drawn with a pencil and then drawn with the pen and light grey paint. First firing at 800°C.
– The roses, foliage and tiny flowers in the centre, on the bottom of the plate, are now covered with resist exactly as they were drawn. Let the resist dry well, apply dark blue lustre on the white spaces and sponge this lightly. Remove the resist as usual with tweezers. Second firing at 800°C.
– Paint all flowers and foliage according to my example, apply raised paste dots on the hearts of the tiny light flowers and fire at 820°C.
– Shade all the rose tendrils and also do the gold work. Last firing at 760°C.

◀ *Ein dekorativer Ginori-Wandteller, der in Farbgebung und Gestaltung der Blüten schon einen etwas persisch-türkischen Einschlag hat.*

◀ *A decorative Ginori wall plate, that, with its choice of colouring and shaping of the flowers, even has a slight Persian-Turkish element.*

◀ ▼ *Weitere Details des Tellers zeigen die
sehr feine und exakte Arbeit.*

◀ ▼ *More details of the plate show the very
fine and precise work.*

## Die sechs Teller mit dem Wildblumenservice

Sie zeigen: Margeriten, Acker-veilchen (mit blauem Schmetter-ling), Wiesenschaumkraut (mit Libelle), Distel, Skabiose (mit Schlupfwespe), Glockenblume. Die naturalistischen Dekore nehmen auf meiner breiten Palette von Ausdrucksmöglichkeiten einen gewichtigen Raum ein, ich liebe sie sehr, besonders auch die Schmetterlinge und Insekten. Da es schon in der Natur eigentlich nichts gibt, was es nicht gibt, kann ich und können Sie Ihrer Fantasie bei der Erschaffung von farbenprächtigen Wesen freien Lauf lassen.

### Die Gestaltung der Blätter

– Das Kolorieren der Stängel bei den Blumen und das der Gräserstiele erfolgt mit dem langen Pinsel Nr. 2.
– Für die Rispen wird eine hellgrüne Blattfarbe aus Mittelgrün und Chromgelb ermischt und mit dem Pinsel in die Zeichnung eingebracht. Achten Sie immer auf eine spannungsreiche Abwechslung bei den Grün-Gelb-Farbschattierungen.

– Beim Ausmalen der Blätter kommt über Hellgrün ein Dunkelgrün.
– Ein Blatt erhält eine besonders plastische Wirkung, wenn man es mit einem Umschlag zeigt, das heißt, wenn man die Schatten oder dunkleren Grüntöne auch auf die verschiedenen Seiten (rechts, links) des Blattes setzt und so betont.
– Neben allerlei Grüntönen kann auch ein Braunrot einen zusätzlichen Akzent bringen. Rotbraun ist gleichfalls ein wichtiger Farbaspekt in den Gräserrispen.

### Insekten

Beim Malen von Insekten mit durchsichtigen Flügeln werden die oberen Flügel mit Irislüster, der Körper und die unteren Flügel in zarten Farben gemalt.

## Six plates from the wild flower dinner service

They show: marguerites, field pansy (with blue butterfly), Lady's smock (with dragonfly), thistle, scabiosa (parasite wasp), campanula. Naturalistic decorations fill an important place on my wide palette of ways of expressing myself, I love them dearly, especially the butterflies and insects. As in nature there is practically nothing that doesn't exist, you can give your imagination free rein when composing these colourful creatures.

### Painting the foliage

– The flower and grass stems are painted with the long no. 2 brush.
– On the panicles apply with the brush a light green leaf colour mixed with medium and chromium green. Always make interesting variations in the green-yellow shading.
– On the foliage paint a dark green over the light green.
– A leaf gets a special three-dimensional effect when painted with a „turnover", that is, when the shadow or the dark green colours are emphasized on the foliage's various sides (left, right).
– Apart from all green shades, one can also bring on some accents with violet of iron. This colour is also an important colour aspect on the grass panicles.

### Insects

When painting insects with transparent wings, the upper wings are coated with iris lustre, the body and underwings are painted with soft shades.

◀ *Die sechs Teller des Wildblumenservice: Seite 64 oben Margerite, unten Distel; Seite 65 oben links Ackerveilchen, rechts Wiesenschaumkraut, unten links Skabiose und rechts Glockenblume.* ▶

◀ *The six plates of the wildflower service: page 64, on top marguerite, below thistle; page 65, on top left corn bellflower, on the right lady's-smock, below left scabious, on the right bellflower.* ▶

▲ *Dieses zierliche Damen-Schreibset würde bestimmt so manchen Schreibsekretär hervorragend schmücken.*

▲ *This dainty ladies' writing set would be an outstanding addition to many a secretaire.*

◀ *Große Prunk-Deckelvase mit hellgrünem Fond, Rosenblüte, Blumenranken und Schmetterlingen.*

◀ *Large magnificent covered vase with light green background, rose, flower garland and butterflies.*

## Hahn und Henne
*(aus japanischem Weißporzellan)*

Der Arbeitsvorgang
- Auf den Kamm des Hahnes wird Lüster im Farbton Aurora aufgetragen und etwas ausgestupft. Brennen Sie anschließend mit 800°C.
- Auf die Flügel und alle Federpartien wird verschiedenfarbiger Lüster aufgemalt, der Bauch des Hahnes wird mit Silber-Irislüster versehen. Brennen bei 800°C.
- Die Blanc-fixe-Relieftupfen werden sorgfältig aufgesetzt. Noch einmal mit 800°C brennen.
- Die Reliefpunkte werden mit Glanzgold übermalt und bei 760°C gebrannt.
- Nun erfolgt die Federarbeit der schwarzen Ornamente und im Anschluss der letzte Brand bei 760°C.

## Cockerel and chicken
*(on Japanese porcelain)*

Procedure
- The lustre colour called „Aurora" is applied on the cockerel's crest and sponged lightly. Fire at 800°C.
- Differently coloured lustres are painted on the wings and all parts of the feathers, apply silver-iris lustre on the cockerel's belly. Fire at 800°C.
- Raised blanc-fixe dots are applied carefully. Fire once more at 800°C.
- The raised dots are gilded with bright gold and fired at 760°C.
- Now follows the pen work of the black ornaments and the last firing at 760°C.

▼ *Hahn und Henne (unten rechts), Erpel und Ente (links) sind nicht nur sehr dekorative Tierfigur-Staffagen, sie bringen auch Glück!*

▼ *Cockerel and chicken (on the right), and drake and duck are not only decorative animal adornment, they also bring luck!*

## Fußschale mit Stiefmütterchen

– Teilen Sie die Schale zuerst in acht Segmente ein. Unterlegen Sie die Stiefmütterchen und das Blattwerk. Sie können die Blümchen selbstverständlich auch farblich „verfremden", das heißt in anderen Farben ausführen. Eine Voraussetzung für ein gutes Resultat ist nur, dass sich die Farben vom Gold abheben und miteinander harmonieren. Bevorzugen Sie also Blau, Purpur, Pompadour und wählen Sie keine gelben Farbtöne! Tragen Sie im Anschluss die Reliefpünktchen auf und brennen Sie daraufhin bei 820°C.

– Nun werden die Blüten mit der Feder schattiert und bei 760°C erneut gebrannt.
– Führen Sie die Goldarbeit so aus, wie es auf dem ovalen Plättchen im Detail gezeigt ist (Abb. S. 69 unten).
– Reliefpünktchen können, müssen aber nicht aufgesetzt werden, um das fertige Werk noch edler wirken zu lassen.

## Footed dish with pansies

– Divide the dish into eight segments. Lightly paint the pansies and foliage. You can of course also use other colours for the flowers. The only condition is that the colours contrast with gold and harmonize. Give preference to blue, purple, pompadour, and do not select yellow shades! Add the raised paste dots and fire at 820°C.
– The flowers are now shaded with the pen and fired at 760°C.
– Do the goldwork as shown in detail on the oval dish (ill. p. 69 below).
– Raised paste dots can, but do not have to, be added to make the finished piece look more noble.

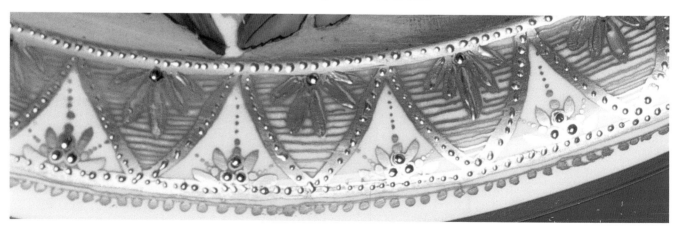

◀ *Randdekor der Stiefmütterchen-Schale
mit breitem Reliefornament in Gold.*

◀ *Border decoration of the pansy dish with
wide raised paste ornament in gold.*

*Die Fußschale mit Stiefmütterchen besticht
ganz besonders auch im Detail.* ▼▶

*The footed dish with pansies is especially
captivating with its details.* ▼▶

## Fotobeispiel "Heckenrose"
*Schritt-für-Schritt*

Ich verwende dafür die Rot-Töne Karmin und Purpur. Der erste Schatten entsteht bereits durch den „Strich" beziehungsweise das Setzen des „Druckers" (Abb. S. 71 oben rechts). Hellgrün dient als Grundlage für die Blätter, ganz wenig Schwarz dazu und sogar etwas Blau akzentuieren die Wirkung. Stets halte ich auch kleine Töpfchen mit Spiritus (zum gelegentlichen Auswaschen des Goldpinsels) bereit.

## Picture example "briar-rose"
*Step-by-step*

I use the red shades carmine and purple for this. The first shadow emerges already by the „stroke", or by the pressure on the brush (ill. p. 71 top right). Light green is the basic colour for the leaves, and a little black and even some blue accentuates the effect. I always have a small dish with spirit ready (for now and then rinsing the gold brush).

▼ ▶ *Die Heckenrose entsteht: Vorzeichnung (Abb. S. 70), Aufnehmen der Farbe Pompadour (Abb. S. 71 oben links), Setzen der Schatten (oben rechts), Malen der Blätter mit verschiedenen Grün- und Blautönen (unten links) und die Fertigstellung mit den das Motiv umgebenden mittelgrünen Gräserrispen (rechts).*

▼ ▶ *Creating the briar-rose: sketch (ill. 70), the loading of pompadour paint on the brush (ill. page 71 top left), application of the shadow (top right), painting the foliage with various green and blue shades (below left) and completion with green grass panicles that surround the motif.*

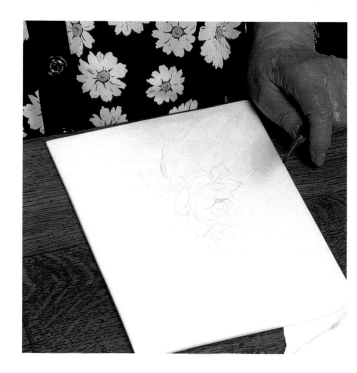

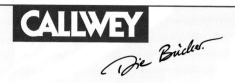